DELE TRATAMIENTO A SU CUELLO

DELE TRATAMIENTO A SU CUELLO

ROBIN McKENZIE, O.B.E., F.C.S.P., F.N.Z.S.P., (Hon) DIP. M.T.

SPINAL PUBLICATIONS NEW ZEALAND LTD.

Spinal Publications
Dirección postal: P.O. Box 93, Waikanae, New Zealand

© Robin McKenzie, 1983.

ISBN 0-9598049-0-0

First published in English 1983
Published in Spanish July 1992

Fotografía:
John Tristram, Juniper Films
27A Roosevelt Street, Levin, New Zealand

RECONOCIMIENTO

Mi agradecimiento especial por la ayuda recibida para producir este libro a Paula Van Wijmen, que examinó y corrigió mis manuscritos y me ayudó de modo importante a aclarar el material que contiene.

Paula recibió su preparación como fisioterapeuta en Holanda, donde se graduó en 1967. Trabajó en el Canadá durante ocho años y, desde entonces, ha estado en práctica privada a tiempo completo en Nueva Zelanda, donde ayudó en mi clínica en la ciudad de Wellington. En 1979, Paula recibió un diploma de terapia manipulativa de la Asociación de Terapeutas Manipulativos de Nueva Zelanda (New Zealand Manipulative Therapists Association).

En la actualidad, se dedica primordialmente a la educación de profesionales de salubridad, tanto en Nueva Zelanda como en otros países.

Robin McKenzie

SOBRE EL AUTOR

Robin McKenzie nació en Auckland, Nueva Zelanda, en 1931. Después de asistir al Wairarapa College, se inscribió en la Escuela de Fisioterapia de Nueva Zelanda, en la que se graduó en 1952. Inició su práctica privada en Wellington, Nueva Zelanda, en 1953, y desarrolló muy pronto un interés especial por el tratamiento de los problemas espinales.

Durante la década de 1960, desarrolló sus propios métodos de examen y tratamiento y, desde entonces, ha obtenido reconocimiento internacional como autoridad de diagnóstico y tratamiento del dolor en la baja espalda. Ha dado conferencias en forma amplia en Norteamérica, Europa, Australia y Nueva Zelanda, donde sus métodos de tratamiento del dolor en la baja espalda se aplican ampliamente. Ha publicado artículos en el New Zealand Medical Journal (Diario Médico de Nueva Zelanda) y es autor de cuatro libros: Déle tratamiento a su espalda, Déle tratamiento a su cuello (que se han traducido al español, el holandés, el francés, el alemán, el chino y el italiano), The Lumbar Spine, Mechanical Diagnosis and Therapy y The Cervical and Thoracic Spine, Mechanical Diagnosis and Therapy.

Robin McKenzie es miembro de la Asociación de Terapeutas Manipulativos de Nueva Zelanda. Es asesor y conferencista del Programa de Fisioterapia Ortopédica en el Kaiser Permanent Medical Center, en Hayward, California, y miembro de la junta editorial del North American Journal of Orthopaedic Physical Therapy and Sports Medicine.

Sus contribuciones a la comprensión y el tratamiento de los problemas espinales se ha reconocido tanto en Nueva Zelanda como a nivel internacional. En 1982, se le declaró miembro honorario de por vida de la American Physical Therapy Association (Asociación de Fisioterapia de los Estados Unidos), como reconocimiento por sus servicios distinguidos y meritorios en el arte y la ciencia de la fisioterapia y el bienestar de la humanidad. En 1983, se le designó como miembro de la Sociedad Internacional para el Estudio de la Espina Lumbar. En 1984, se hizo miembro activo de la American Back Society (Sociedad Estadounidense de la Espalda) y en 1985 se le concedió la categoría de miembro honorario de la Sociedad de Fisioterapeutas de Nueva Zelanda (New Zealand Society of Physiotherapists).

CONTENIDO

CAPITULO 1

INTRODUCCION

Los problemas del cuello reciben diferentes nombres que van de artritis del cuello, espondilosis del cuello, reumatismo, fibrositis, disco desviado, o bien, cuando incluye un dolor que se extiende hasta el brazo, neuritis y neuralgia.

La mayoría de nosotros sufrimos en algún momento de nuestra vida un dolor en la zona del cuello, o bien, un dolor que surge del cuello y se siente en los hombros, la paletilla, el brazo o el antebrazo. El dolor que procede del cuello se puede sentir también en la mano y experimentarse en los dedos síntomas tales como alfilerazos, pinchazos u hormigueo. Algunas personas sufren dolores de cabeza, cuya causa se relaciona con los problemas en el cuello.

Por lo común, estos dolores y estas molestias se producen intermitentemente —o sea que hay momentos en el día o días enteros en los que no se siente dolor en absoluto. Los síntomas pueden presentarse misteriosamente, con frecuencia sin razón aparente, y desaparecer en la misma forma misteriosa. Esas molestias y esos dolores se pueden presentar constantemente, o sea, que se siente dolor, en mayor o menor grado. Las personas que sufren dolores todo el tiempo se ven obligadas a menudo a tomar píldoras. Es poco común que esas personas tengan que dejar de trabajar; aun cuando esto sucede también de vez en cuando. Lo más frecuente es que el dolor haga que sus vidas sean poco agradables y que tengan que reducir sus actividades, con el fin de mantener la incomodidad en un nivel moderado. Así, los problemas del cuello pueden afectar nuestro modo de vida.

Si tiene problemas de esta naturaleza, habrá descubierto ya que los síntomas pueden durar a veces meses o incluso años enteros. O bien, puede haberse dado cuenta de que los tratamientos logran detener a menudo su dolor; pero que éste último regresa en algún momento posterior. Quizá desee leer este libro porque tiene dolores persistentes que no han desaparecido, a pesar de que ha estado recibiendo el mejor tratamiento posible. Sea cual sea la situación, lo más probable es que se dé cuenta de que muchos de los tratamientos, aplicados por doctores, fisioterapeutas y quiroprácticos, se prescriben para sus síntomas actuales, si no tratan de prevenir los problemas del futuro. Una y otra vez, puede que busque ayuda para obtener alivio para su dolor de cuello. Sería maravilloso que pudiera aplicarse el tratamiento usted mismo, siempre que se presentara el dolor. Todavía mejor, sería muy conveniente que pudiera aplicar un sistema de tratamiento para usted mismo que impidiera que el dolor se presentara.

Tan sólo en los últimos diez o quince años se han descubierto métodos que nos permiten aprender a encargarnos de nuestros propios dolores en la espina dorsal. Por desgracia, esta información no se ha difundido ampliamente hasta hace poco tiempo, debido a que, como muchos otros desarrollos dentro de la medicina, se considera que las nuevas ideas deben de ser vistos como eficaces antes de que se puedan respaldar. Los métodos que voy a describirle los han utilizado doctores y fisioterapeutas en muchas partes del mundo, desde comienzos de la década de 1970 y, en general, sus pacientes están obteniendo los mismos resultados satisfactorios.

Uno de los puntos principales de ese libro es indicarle que la administración de su cuello es su responsabilidad. Si por alguna razón ha desarrollado algún tipo de problema en el cuello, deberá aprender a ocuparse de los síntomas actuales y a prevenir los problemas futuros. El autotratamiento resultará más eficaz para afrontar a largo plazo el dolor de su cuello que cualquier otro tipo de terapia.

Si acaba de sentir un dolor en el cuello por primera vez, este libro no será para usted o, por lo menos, no en esta etapa. En ese caso, deberá consultar a su médico, que examinará los problemas de su cuello desde diversos ángulos. Cuando sea apropiado, le enviará a un terapeuta manipulativo para su tratamiento y, lo que es más importante todavía, para recibir consejos e instrucciones respecto a la prevención de problemas adicionales en el cuello. Deberá buscar también asesoramiento si se presentan complicaciones en sus problemas de cuello como, por ejemplo, si tiene dolores fuertes e intensos, si su cabeza se desvía o si tiene dolores de cabeza graves y que no parezcan poder calmarse. El terapeuta manipulativo es un fisioterapeuta especializado en el tratamiento de trastornos del sistema musculoesquelético. En Estados Unidos, a esos terapeutas se les denomina fisioterapeutas ortopédicos.

Finalmente, este libro ayudará sólo al 80% de las personas que tengan dolores de cuello. Se destina a quienes tengan problemas mecánicos directos. Esperamos que caiga en esta categoría y que la información que contiene este libro le resulte clara y útil.

CAPITULO 2

EL CUELLO O LA ESPINA CERVICAL

LA ESPINA

Veamos la columna vertebral de los seres humanos *(figura 2:1),* el hueso de la espalda o la espina dorsal. En la zona del cuello, la espina consiste en siete huesecitos, las vértebras, que reposan unas sobre otras, de manera similar a una pila de carretes de algodón. Cada vértebra tiene una parte sólida en el frente, llamada cuerpo vertebral, y un orificio en la parte posterior *(figura 2:2).* Cuando se alinian como columna vertebral, esos orificios forman el canal espinal. Dicho canal sirve como pasaje protegido para la médula espinal, que es el haz de nervios que se extiende desde la cabeza hasta la pelvis.

Los discos son cartílagos especiales que separan las vértebras. Se encuentran entre los cuerpos vertebrales, en la parte frontal de la médula espinal *(figura 2:2).* Cada disco consiste en una parte central fluida blanda (el núcleo), rodeada y retenida por un anillo de cartílago (el ligamento anular o anillo). Los discos son similares a arandelas o roldanas de caucho y actúan como amortiguadores. Pueden modificar su forma, permitiendo de ese modo el movimiento de una vértebra sobre otra y del cuello en su conjunto.

Las vértebras y los discos se enlazan mediante una serie de juntas para formar el cuello o la espina cervical. Cada junta se mantiene unida por los tejidos blandos circundantes —o sea, una cápsula reforzada por medio de ligamentos. Hay músculos que reposan sobre una o más juntas del cuello y pueden extenderse hacia arriba, a la cabeza, o hacia abajo, hasta el tronco. En ambos extremos, cada músculo se transforma en un tendón mediante el que se fija a diferentes huesos. Cuando se contrae un músculo, provoca movimiento en una o más juntas.

Entre cada dos vértebras hay una pequeña abertura, a cada lado, por la que sale un nervio del canal espinal: el nervio espinal derecho y el izquierdo *(figura 2:3).* Entre otras tareas, los nervios espinales les proporcionan a nuestros músculos fuerza y a nuestra piel la capacidad de sentir. En realidad, los nervios forman parte de nuestro sistema de alarma: el dolor es la advertencia de que alguna estructura está a punto de dañarse o ya está lesionada.

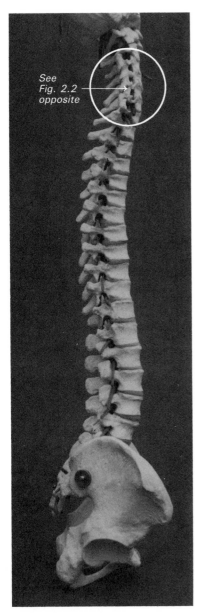

See
Fig. 2.2
opposite

Figura 2:1
La columna vertebral o espina
dorsal, de cara a la derecha.

Figura 2:2
Dos vértebras cervicales con el disco intermedio.

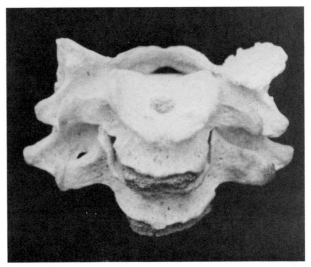

Figura 2:3
Vértebras y nervio saliente.

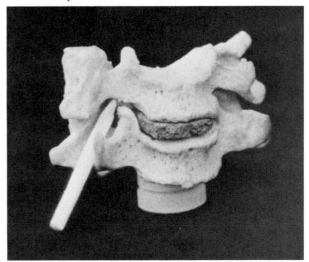

FUNCIONES DE LA ESPINA CERVICAL

Por encima de este complejo de huesos y arandelas reposa la cabeza, que contiene nuestro sistema de computación, el cerebro, y los importantes sensores asociados, tales como los ojos, los oídos, la nariz y la boca. En conjunto, las vértebras, los discos y la cabeza constituyen una serie de juntas flexibles que permiten que la cabeza gire casi 180° de un lado al otro, mire hacia arriba y hacia abajo y se incline de costado. Además, la cabeza puede adoptar muchas posiciones que son combinaciones de los movimientos mencionados antes.

Las funciones principales de la espina cervical son sostener la cabeza, permitir que se mueva en muchas direcciones y ajustar su posición en grados finos, con el fin de contribuir al buen funcionamiento de los sensores, además de proporcionar un pasaje protegido para el haz de nervios que se extiende desde el cerebro hasta el sacro, el extremo de cola de la espina dorsal.

El cuello tiene una gran flexibilidad, debido a la estructura especialmente diseñada de las juntas, sobre todo las que se encuentran entre las vértebras más altas y la cabeza. Su flexibilidad aumenta todavía más ya que, en esta zona, no hay estructuras óseas fijas a la espina. Así, el cuello se puede mover de modo relativamente libre del resto de la columna vertebral, donde los movimientos están restringidos por la caja torácica y la pelvis. Por otra parte, puesto que el cuello no está rodeado y protegido por otras estructuras, es también más vulnerable que el resto de la columna cuando se somete a tensiones. La misma flexibilidad, tan útil y necesaria para la vida cotidiana, es también la causa de muchos de nuestros problemas. La gama amplia de movimientos del cuello lo expone a una gama igualmente amplia de tensiones y esfuerzos.

POSTURA NATURAL

La vista de costado del cuerpo humano *(figura 2:4)* muestra que hay una pequeña curva hacia adentro en el cuello, inmediatamente por encima del plano de los hombros. Recibe el nombre de lordosis cervical. Es esta curva en la columna vertebral que nos interesa principalmente en este libro.

Al permanecer de pie, la cabeza se debe mantener directamente por encima del plano de los hombros, formando de ese modo una lordosis cervical pequeña, pero visible *(figura 2:4)*. Debido al descuido de la postura, hay personas que parecen llevar a veces la cabeza frente a su cuerpo, con la barbilla hundida hacia adelante *(figura 2:5)*. Ahora bien, la lordosis cervical se cambia de forma y se distorsiona. En esta posición, las juntas de la parte exterior del cuello se inclinan relativamente hacia adelante y se flexionan, mientras que las que se encuentran entre la parte superior del cuello y la cabeza se extienden o inclinan hacia atrás. Esto se denomina postura de cabeza saliente *(figura 2:5)* y, si se presenta con frecuencia y dura mucho, se pueden desarrollar problemas en el cuello.

Figura 2:4
Vista de costado del cuerpo humano,
con buena postura.

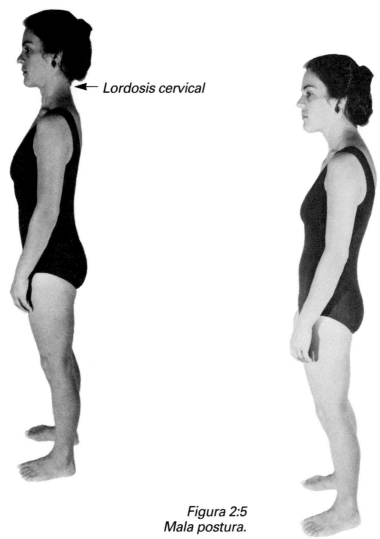

← Lordosis cervical

Figura 2:5
Mala postura.

RAZONES POR LAS QUE DUELE EL CUELLO

El dolor mecánico se produce cuando la junta entre dos huesos se ha colocado en una posición que tensa en exceso a los tejidos blandos circundantes. Esto es también cierto en el caso del dolor mecánico de cualquier junta del cuerpo; pero en la columna hay factores adicionales. En este caso, los tejidos que rodean a las juntas entre las vértebras, sobre todo los ligamentos, son también responsables de sostener los discos blandos que separan a las vértebras. Mantienen a los discos en un compartimiento cerrado y contribuyen a formar un mecanismo amortiguador.

Se puede producir un dolor de origen mecánico en el cuello por las razones que siguen: Los ligamentos y otros tejidos blandos que mantienen juntas a las vértebras pueden estirarse en exceso, sin sufrir otros daños. La tensión excesiva se puede deber a alguna fuerza externa que ejerce un esfuerzo repentino y poderoso sobre el cuello como, por ejemplo, debido a un accidente o en un deporte de contacto. Este tipo de tensión no se puede evitar con facilidad si se produce de manera inesperada y toma a una persona por sorpresa. Lo más frecuente es que el estiramiento excesivo se deba a esfuerzos de postura que ejercen tensiones menos intensas sobre el cuello, a lo largo de un periodo más prolongado. Este tipo de esfuerzo lo ejercemos nosotros mismos sobre nuestro cuello y se puede modificar con facilidad. Es aquí donde reposa nuestra principal responsabilidad de autotratamiento y prevención del dolor en el cuello.

Se presentan complicaciones cuando el estiramiento excesivo de los tejidos blandos provoca daños en dichos tejidos. A menudo se piensa que el dolor de cuello se debe a músculos esforzados. Los músculos, que son la fuente de la fuerza y causan el movimiento, se pueden tensar en exceso y lesionarse. Esto requiere una cantidad considerable de fuerza exterior y no se produce con mucha frecuencia. Además, los músculos se curan por lo común con rapidez y es raro que causen un dolor que dure más de una o dos semanas. Por otra parte, siempre que el efecto de la fuerza que lesiona sea lo suficientemente intenso como para afectar los músculos, los tejidos blandos subyacentes, tales como la cápsula y los ligamentos sufrirán también daños. De hecho, se lastiman mucho antes que los músculos mismos. Cuando se curan, pueden formar tejidos de cicatrización, volverse menos elásticos y acortarse. En esta etapa, incluso los movimientos normales pueden tensar las cicatrices de esas estructuras acortadas y producir dolor. A menos que se realicen ejercicios apropiados para estirar gradualmente y alargar esas estructuras, devolviéndoles su flexibilidad normal, pueden convertirse en una causa continua de dolor de cabeza o cuello.

Se presentan complicaciones de otra naturaleza cuando se dañan los ligamentos que rodean a los discos, hasta el punto de que estos últimos pierden su capacidad para absorber los golpes y sus paredes externas se debilitan. Esto permite que la parte blanda al interior del disco salga hacia afuera y, en casos extremos, sobresalga de los ligamentos externos, lo que puede causar problemas graves. Cuando la protuberancia del disco sobresalga lo suficiente hacia atrás, podrá comprimir de manera dolorosa uno de los nervios de la espina. Esto puede provocar algunos de los dolores que se sienten lejos de la causa del mal como, por ejemplo, en el brazo o la mano.

Debido a esta protuberancia, el disco se puede distorsionar de manera considerable e impedir que las vértebras se alinien adecuadamente durante el movimiento. En este caso, hay movimientos que pueden bloquearse de modo parcial o total y al realizarlos con esfuerzo se siente un dolor intenso. Esta es la razón por la que algunas personas sólo pueden mantener la cabeza en una posición excéntrica. Quienes experimenten un dolor repentino y, después de ello, no puedan mover la cabeza en forma normal, será posible que tengan alguna protuberancia del material blando del disco. Esto no tiene que ser causa de alarma. Los movimientos que se describen en este libro se diseñaron cuidadosamente para reducir cualquier trastorno de esta naturaleza.

TENSIONES DEBIDAS A LA POSTURA

La forma más común de dolor de cuello se debe a la sobretensión de ligamentos, como consecuencia de los esfuerzos causados por las posturas. Esto se puede producir cuando se permanece sentado durante mucho tiempo en mala posición *(figura 2:6)*; al permanecer tendido al dormir durante toda la noche con la cabeza en posición extraña *(figuras 2:7 y 2:7a)* y al trabajar en posiciones tensas *(figura 2:8)*.

De todas estas tensiones causadas por la posición, la mala postura al sentarse —o sea, al hacerlo con la cabeza hacia adelante—, es de lejos la que con mayor frecuencia causa dificultades. La mala postura, por sí misma, puede producir dolores de cuello; pero, una vez que se han desarrollado problemas de este tipo, la mala postura hace con frecuencia que empeoren y los perpetuará para siempre.

El tema principal de este capítulo es que el dolor debido a la postura no se presentará, si se evitan las sobretensiones prolongadas. En caso de que se produzca dolor, habrá ciertos movimientos que se podrán realizar para lograr que cese. No se debería necesitar buscar ayuda cada vez que se presente un dolor debido a la postura.

Figura 2:6
Mala posición sentada.

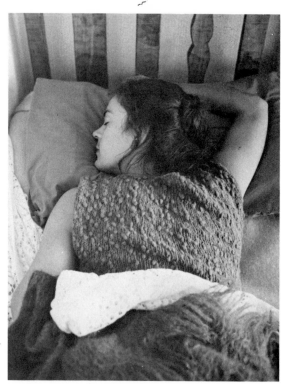

Figura 2:7
Mala postura al dormir.

Figura 2:7(a)
Mala postura en posición acostada.

Figura 2:8
Posición de trabajo tensa.

DONDE SE SIENTE EL DOLOR

Los sitios en que se produce dolor, debido a problemas del cuello, varían de unas personas a otras. En el primer ataque, el dolor se siente por lo común cerca de la base del cuello, en el centro *(figura 2:9)* o a un lado *(figura 2:10)*. Por lo común, el dolor se calma al cabo de pocos días. En ataques subsiguientes, el dolor se puede presentar entre los dos hombros *(figura 2:11)*, en la parte superior de un hombro o la paletilla *(figura 2:12)* y, después, al exterior o en la parte posterior del brazo, llegando hasta el codo *(figura 2:13)*, o bien, se puede extender por debajo del codo hasta la muñeca o la mano y sentirse en los dedos alfilerazos, pinchazos y hormigueo *(figura 2:14)*. Algunas personas experimentan dolores de cabeza debido a los problemas del cuello. A menudo, esos dolores se sienten en la parte superior del cuello y la base y la parte posterior de la cabeza, en uno de los costados o los dos *(figura 2:15)*; pero pueden extenderse también desde la parte posterior de la cabeza sobre la parte superior de ésta, hasta encima o detrás de los ojos, también en uno o ambos lados *(figura 2:16)*.

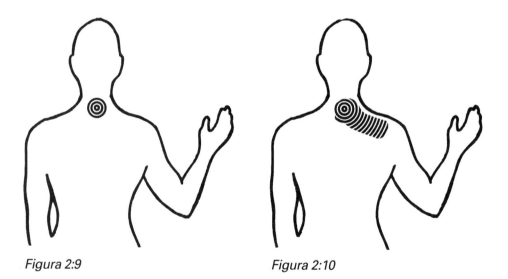

Figura 2:9   Figura 2:10

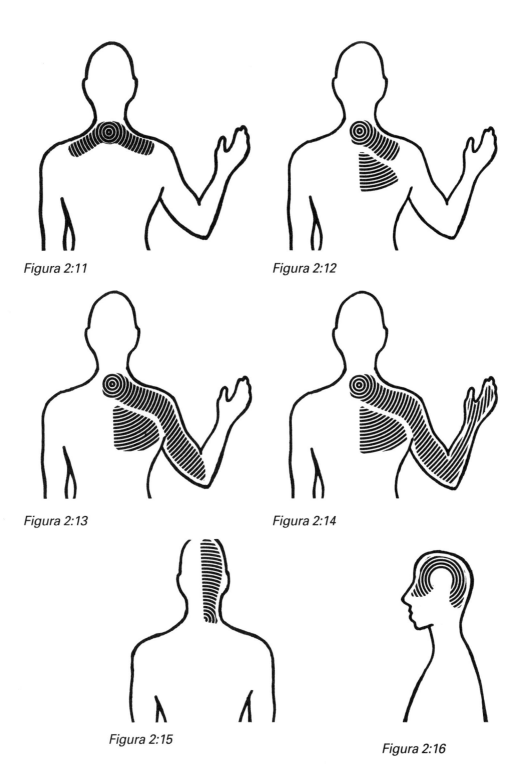

Figura 2:11

Figura 2:12

Figura 2:13

Figura 2:14

Figura 2:15

Figura 2:16

QUIEN PUEDE APLICARSE EL AUTOTRATAMIENTO

Hay sólo unas cuantas personas que no obtendrán beneficios por los consejos que se dan en este libro. Casi todos pueden comenzar el programa de ejercicios, a condición de que tomen las precauciones recomendadas. Una vez que haya iniciado los ejercicios, observe con cuidado su patrón de dolores. Si estos últimos empeoran en forma progresiva y permanecen en mal estado al día siguiente, deberá pedirles asesoramiento a su doctor o su terapeuta manipulativo.

En cualquiera de las situaciones que siguen, no deberá iniciar el programa de ejercicios sin consultar primeramente a su doctor o terapeuta manipulativo:

Si tiene dolor cerca o en la muñeca o la mano y experimenta sensaciones de alfilerazos, pinchazos u hormigueo en los dedos.

Si ha desarrollado problemas en el cuello después de un accidente reciente y grave.

Si ha desarrollado dolores de cabeza recientemente. En este caso, es posible que sea necesario hacer que le examinen su vista o reajustar sus lentes.

Si tiene dolores fuertes de cabeza, que se presenten sin razón aparente, no se calman y empeoran de modo gradual.

Si tiene dolores de cabeza fuertes e intermitentes, acompañados de náuseas y mareos.

CAPITULO 3

CAUSAS COMUNES DEL DOLOR EN EL CUELLO

1. Sentado durante periodos prolongados

Cuando se permanece en movimiento, sobre todo al caminar a buen paso, se mantiene una postura bastante erecta. La cabeza se retrae y se mantiene directamente sobre la columna vertebral y, en consecuencia, recibe el máximo soporte posible. Cuando nos sentamos y nos relajamos en una silla *(figura 3:1)*, la cabeza y el cuello se inclinan lentamente hacia adelante, debido a que los músculos que los soportan se cansan. Cuando sucede esto último, dichos músculos se relajan y perdemos el soporte principal para mantener una buena postura. El resultado es la cabeza inclinada hacia adelante *(figura 3:1a)*. Esta postura se puede ver todos los días en torno nuestro. No existe durante la infancia; pero se va

Figura 3:1
Mala postura sentada.

Figura 3:1(a)
Postura con la cabeza inclinada hacia adelante.

desarrollando a partir de la mitad de la adolescencia. No estamos destinados a permanecer sentados durante seis a ocho horas diarias, durante quizá seis días a la semana.

Cuando se mantiene la posición de cabeza hacia adelante durante bastante tiempo, se provoca una sobretensión de los ligamentos. Así, se producirá dolor sólo en ciertas posiciones. Una vez que la postura hacia adelante se haya hecho habitual y se mantenga la mayor parte del tiempo, podrá causar también una distorsión de los discos contenidos en las juntas vertebrales. En esta etapa, tanto los movimientos como las posturas generarán dolores. Los problemas del cuello, desarrollados de este modo, son la consecuencia de los descuidos de posiciones. Una mala postura del cuello no es lo único que provoca dolor; sin embargo, se trata de una de las causas principales del factor de perpetuación más difícil.

Mientras se permanece sentado, la posición de la parte baja de la espalda influye mucho en la postura del cuello. Si se permite que la parte baja de la espalda se eche hacia adelante, será imposible sentarse con la cabeza y el cuello hacia atrás. Esto es algo que podrá probar con facilidad. Lamentablemente, una vez que se haya estado sentado en mala postura durante varios minutos, nuestro cuerpo cede y terminamos sentados en forma incorrecta, con la parte baja de la espalda arqueada, y la cabeza y el cuello hacia adelante. Para la mayoría de las personas que permanecen sentadas durante periodos prolongados, el resultado es que su postura es mala.

FACTORES AMBIENTALES

El diseño de los asientos en los transportes, comerciales y domésticos, fomenta los malos hábitos de posturas. Es raro que las sillas disponibles proporcionen un respaldo adecuado para la parte inferior de la espalda y el cuello y, a menos que se haga un esfuerzo consciente para sentarse de modo correcto, nos vemos forzados a permanecer en mala posición. Para el cuello, lo ideal es que el respaldo de la silla se eleve a una altura suficiente, con el fin de que sea posible reposar la cabeza en él; pero este soporte no siempre se incluye. Una excepción son los asientos fabricados para la mayor parte de las líneas aéreas. Sin embargo, por desgracia, sus soportes de cabeza impulsan el cuello y la cabeza misma a una posición inclinada hacia adelante que es la que causa nuestros problemas. Debe ser muy valerosa la persona que se arriesgue a dormir en uno de esos asientos; pero al despertarse, es muy posible que sienta los antiguos dolores de cuello que conoce tan bien.

Al viajar en automóvil, tren, autobús o avión, nos vemos obligados a menudo a sentarnos en la posición que dictan los asientos que se nos proporcionan. Puede que sea necesario que el conductor de un autobús, un automóvil o un camión, sobre todo cuando el clima sea adverso, incline la cabeza y el cuello hacia adelante, con el fin de poder ver mejor a través del parabrisas.

Los muebles en las oficinas y las fábricas de todo el mundo están también mal diseñados y, para complicar las cosas todavía más, no se adaptan a los requisitos individuales. Esta es una de las razones por la que tantas personas que tienen una ocupación sedentaria y se pasan la mayor parte del día en una posición de trabajo sentado, desarrollan dolores en el cuello y la parte inferior de la espalda. Hasta que los diseñadores de muebles no entiendan los requisitos del cuerpo humano y produzcan sus artículos en consecuencia, seguiremos sufriendo por su negligencia.

Finalmente, el diseño de los muebles domésticos no es mejor. A menos que su sillón favorito sea excepcional, tendrá un soporte insuficiente para el cuello y la parte inferior de la espalda y seguirá ejerciendo tensiones sobre esas zonas cuando se relaje, por las tardes. Si sus problemas de cuello se ven agravados al leer o ver la televisión, es poco probable que el contenido del libro, el periódico o el programa de televisión le estén produciendo su dolor en el cuello. La postura que haya adoptado será la causa del dolor y dependerá, en gran parte, del tipo de silla o soporte que utilice.

Aun cuando el mal diseño de los muebles contribuye al desarrollo de dolores en el cuello, se debe culpar también al modo en que utilizamos los muebles nosotros mismos. Si no sabemos como sentarnos correctamente, ni siquiera las sillas mejor diseñadas podrán impedir que nos repantiguemos. Por otra parte, una vez que nos acostumbramos a sentarnos correctamente, las malas sillas no tendrán muchos efectos sobre nuestra postura.

COMO MANEJAR LAS SITUACIONES EN LAS QUE SE DEBE PERMANECER SENTADO DURANTE MUCHO TIEMPO

Con el fin de evitar el desarrollo de dolores de cuello, debido a la permanencia sentado en mala postura durante mucho tiempo, es necesario: (1) sentarse correctamente y (2) interrumpir a intervalos regulares la postura de inclinación de la cabeza hacia el frente o la flexión prolongada del cuello. Para tratar el dolor de cuello como resultado de una mala postura, es preciso que se tengan que realizar otros ejercicios, además de la corrección de la postura misma. En este capítulo, me ocuparé solamente de los ejercicios necesarios para reducir las tensiones de la postura y lograr la corrección de esta última. Los ejercicios para alivio del dolor y aumento de las funciones se verán en el capítulo que sigue.

CORRECCION DE LA POSTURA SENTADA

Es posible que haya permanecido sentado en forma hundida durante muchos años, sin sufrir dolor en el cuello y los hombros; pero una vez que tenga problemas en el cuello, ya no podrá sentarse como lo hacía, ya que su postura sólo servirá para perpetuar la sobretensión de la que nos ocupamos antes.

Si permanece sentado en posición hundida, con la parte inferior de la espalda arqueada, no será posible corregir la postura del cuello *(figura 3:2)*. Por consiguiente, es necesario corregir primeramente la postura de la parte inferior de su espalda. En el libro "Déle tratamiento a su espalda", también de Robin McKenzie, se describe el modo en que se debe adoptar y mantener la posición correcta de la parte inferior de la espalda, en posición sentada. Sin embargo, para los fines de este libro, es preciso estar completamente consciente de lo que sigue: El hueco natural, presente en la parte inferior de la espalda, mientras se permanece sentado, se debe mantener con el fin de que la postura sea correcta *(figura 3:3)*. Para lograr esto, es esencial utilizar un rodillo lumbar, que es un soporte

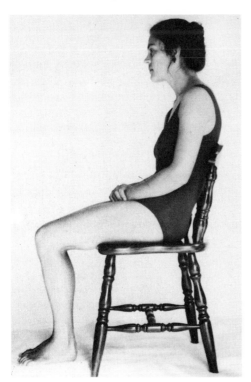

Figura 3:2   Mala posición del cuello. Debido a un soporte insuficiente de la parte inferior de la espalda.

Figura 3:3   Buena postura del cuello que resulta posible gracias a un buen soporte de la parte inferior de la espalda.

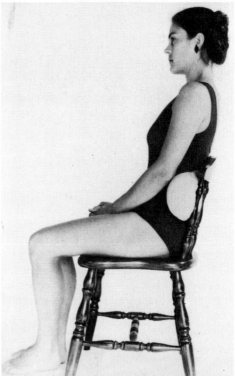

26

Figura 3:4
Rodillo
lumbar

especialmente diseñado para la parte inferior de la espalda *(figura 3:4)*. El rodillo debe ser de no más de 7.5 a 10 cm de diámetro, antes de comprimirse, y estar relleno moderadamente de hule espuma. Sin este soporte, la parte inferior de la espalda se inclina hacia adelante y lo hace también así la cabeza, en cuanto uno se relaja o se concentra en cualquier cosa que no sea la postura como, por ejemplo, al hablar, leer, escribir, ver la televisión o conducir el automóvil. Para contrarrestar esta inclinación hacia adelante, debe colocar un rodillo lumbar en la parte inferior de la espalda, al nivel de la cintura, siempre que se siente en algún sillón *(figuras 3:5, 3:5a, 3:5b y 3:5c)*, el automóvil *(figura 3:6 y 3:6a)* o un asiento de la oficina *(figura 3:7 y 3:7a)*.

Figura 3:5
Correcto.

Figura 3:5(a)
Incorrecto.

Figura 3:5(b)
Correcto

Figura 3:5(c)
Incorrecto

Figura 3:6
Correcto

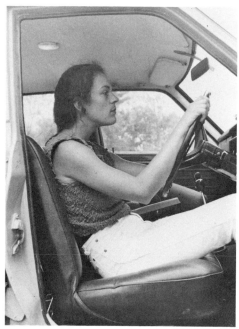

Figura 3:6(a)
Incorrecto

Figura 3:7
Correcto

Figura 3:7(a)
Incorrecto

Para corregir la postura del cuello, mientras se permanece senta-do, se debe aprender primeramente a retraer la cabeza. Por consiguiente, es preciso practicar mucho el ejercicio 1 - Retracción de la cabeza (vea el capítulo 4). Este ejercicio se debe realizar de quince a veinte veces por tanda, repitiendo las sesiones tres veces al día, de preferencia a la mañana, al mediodía y al anochecer. El procedimiento rítmico nos enseña la posición correcta de la cabeza en relación al resto del cuerpo. Todo movimiento hacia atrás de la cabeza se debe realizar hasta el grado máximo posible. Cuando se echa la cabeza hacia atrás tan lejos como llegue, se tomará la postura de cabeza denominada retraída *(figura 3:8)*. A continuación, habrá llegado al extremo de la posición corregida de la cabeza y el cuello.

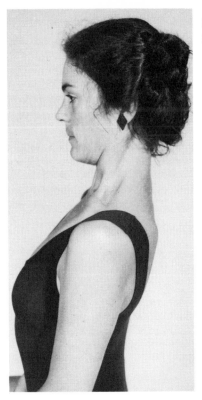

Figura 3:8
Retracción.

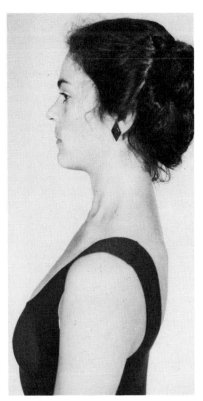

Figura 3:9
Postura correcta perfecta.

Una vez que sepa retraer la cabeza, deberá aprender a encontrar y mantener la postura correcta de la cabeza y el cuello. El extremo de la posición retraída de la cabeza es una posición de tensión y no es posible permanecer sentado de este modo durante mucho tiempo. Para sentarse en forma cómoda y correcta, deberá mantener la cabeza a poca distancia de la posición de retracción extrema. Para encontrar esta posición, deberá retraer primeramente la cabeza todo lo que sea posible *(figura 3:8)* y, luego, volver atrás al menos un 10 por ciento del movimiento *(figura 3:9)*. Ahora habrá llegado a la postura correcta de la cabeza y el cuello, que podrá mantener durante cualquier duración. Puede que necesite hasta ocho días de práctica para lograr esto.

La meta de esta parte del programa es restaurar primeramente la postura correcta y, luego, mantenerla. Por regla general, el dolor disminuirá al mejorar la postura de su cabeza y no tendrá dolor una vez que mantenga la postura correcta. El dolor se volverá a presentar con facilidad durante las primeras semanas, siempre que permita que su cabeza se proyecte hacia adelante. Sin embargo, a fin de cuentas, permanecerá completamente sin dolor, incluso cuando se olvide accidentalmente de su postura. No obstante, no deberá permitirse nunca sentarse durante mucho tiempo en forma repantigada, con la cabeza hacia adelante. En tanto esté sin dolor durante un par de días, podrá reanudar sus actividades normales. Si a partir de este momento sigue las instrucciones que se dan en este libro, podrá evitar también otros daños en su cuello.

Al comenzar por primera vez los procedimientos anteriores para corregir la posición del cuello y la parte inferior de la espalda, al sentarse, experimentará ciertos dolores nuevos. Estos pueden ser distintos del original y sentirse en otros lugares. Los dolores nuevos son el resultado de la realización de ejercicios hasta ahora desconocidos y el mantenimiento de posturas nuevas. Se deben esperar y desaparecerán al cabo de pocos días, a condición de que prosiga la corrección de la postura regularmente. Una vez que se acostumbre a sentarse correctamente, le resultará muy agradable el hacerlo. Muy pronto se dará cuenta de la reducción o la ausencia de dolor y su mayor comodidad. A partir de ese momento, escogerá automáticamente las sillas que le permitan sentarse correctamente.

Regla: *Al sentarse durante periodos prolongados, deberá hacerlo correctamente, con la parte inferior de la espalda sostenida mediante un rodillo lumbar y con la cabeza retraída.*

INTERRUPCION REGULAR DE LA FLEXION PROLONGADA DEL CUELLO

Si se pasa periodos prolongados en posición sentada —por ejemplo, efectuando tareas de escritorio o tejiendo—, será probable que, incluso con las mejores intenciones, se olvide eventualmente de mantener la postura correcta. En forma gradual, adoptará una posición de cabeza saliente, en la que tanto la cabeza como el cuello estarán inclinados hacia adelante. Para contrarrestar esto, deberá interrumpir con frecuencia la posición hacia adelante, corrigiendo la postura del cuello y echando éste último y la cabeza hacia atrás (vea el capítulo 4, ejercicio 2). Esto aliviará las tensiones sobre los discos, entre las vértebras, así como también los tejidos circundantes.

Regla: *Cuando permanezca sentado durante periodos prolongados, la interrupción regular de la flexión prolongada del cuello es esencial. Esto se puede lograr, retrayendo la cabeza y extendiendo el cuello cinco o seis veces a intervalos regulares como, por ejemplo, una vez cada hora.*

2. Posición acostada y de reposo

La siguiente causa más frecuente de dolor en el cuello es la tensión en posición de acostado. Si se despierta por la mañana con el cuello rígido y adolorido, sin haber tenido ese tipo de problema la noche anterior, es probable que haya algo malo en la superficie sobre la que permaneció acostado o la posición en la que haya dormido. Resulta una tarea relativamente fácil corregir la superficie sobre la que se tiende; pero es bastante difícil influir en la posición que adopte mientras duerme. Una vez que esté dormido podrá cambiar regularmente de postura o agitarse y darse vueltas continuamente. A menos que cierta postura provoque una incomodidad tan grande que haga que se despierte, no tendrá ninguna idea de las diversas posiciones que adopte mientras duerme.

CORRECCION DE LA SUPERFICIE

Lo único que se necesita para corregir la superficie en la que se tiende es cambiar de almohada. Podrá necesitar cambiar el material de que está hecha, su espesor o ambas cosas. Es preciso que se dé cuenta que la función principal de la almohada es soportar tanto la cabeza como el cuello. Por consiguiente, debería llenar el hueco natural en el contorno del cuello entre la cabeza y el plano de los hombros, sin hacer que se incline la cabeza ni elevarla. Por el contrario, se debe permitir que la cabeza repose sobre un hueco en forma de disco. De ello se desprende que debe poder ajustar el contenido de la almohada con facilidad. De modo ideal, esta última deberá ser de plumas o kapok, con caucho o hule espuma, como segunda elección. Empujando y apretando el contenido, podrá formar un hueco para su cabeza y una protuberancia en el borde, con el fin de tener un soporte grueso para el cuello. Las almohadas hechas de plástico de espuma o caucho moldeado no permiten que se ajuste el contenido. Adoptan siempre la forma de su molde original, por mucho que se intente cambiarlas. No permiten que la cabeza repose en un hueco en forma de disco, sino que tienden a aplicar una presión de retroceso contra la posición natural que le agradaría adoptar a la cabeza. Si tiene este tipo de almohada, deberá reemplazarla con otra hecha con los materiales recomendados.

Si la almohada no proporciona un respaldo adecuado para su cuello, por cualquier razón, debería utilizar además un rodillo de soporte. Hágase un rodillo de espuma blanda de aproximadamente 8 cm (3 pulgadas) de diámetro y 45 cm (18 pulgadas) de longitud *(figura 3:10)*. Colóquelo al interior de su funda de almohada, sobre esta última y a lo largo de su reborde inferior *(figura 3:11)*. Alternativamente, podrá utilizar una toalla pequeña de mano de unos 50 cm (20 pulgadas) de anchura y longitud. Pliéguela a la mitad y enróllela en forma floja; luego, póngasela en torno al cuello y sujete los extremos al frente con alfileres. En ambos casos, el rodillo de soporte llenará el espacio entre la almohada y el cuello *(figura 3:11a)*. Las medidas, dadas antes, son simplemente una guía. Todos los soportes del cuello deben satisfacer los requisitos individuales y cada persona tiene que experimentar por sí misma.

Figura 3:10
Rodillo de espuma blanda.

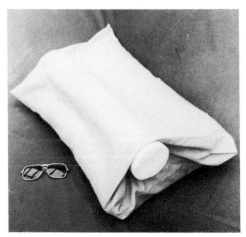

Figura 3:11
...colocado al interior de la funda de almohada.

Figura 3:11(a)
...con el fin de darle soporte al cuello.

CORRECCION DE LA POSTURA ACOSTADA

Si se considera que la postura misma en que se acuesta causa problemas, será preciso investigarla en forma individual para cada persona. Sin embargo, hay una posición que requiere un análisis adicional. A algunas personas les agrada dormir de cara hacia abajo y con frecuencia se despiertan con dolor de cabeza y cuello, que desaparecen al avanzar el día. Aparte de esto, no parecen tener ningún problema en el cuello.

Mientras permanecen tendidos de cara hacia abajo, la cabeza se vuelve por lo común hacia un costado y, en esta posición, algunas de las junturas, sobre todo en la parte superior del cuello, llegan al grado máximo posible de giro o se acercan a él *(figura 3:12)*. En consecuencia, esta postura ejerce una gran tensión sobre los tejidos blandos que rodean a las junturas del cuello y los que se encuentran entre la parte superior y la cabeza.

Si tiene problemas de esta naturaleza, deberá evitar acostarse boca abajo. Además, es aconsejable que lleve a cabo los ejercicios recomendados, sobre todo los 1, 2 y 6 (vea el capítulo 4). Esto es para asegurar que pueda retraer la cabeza y extender el cuello adecuadamente, además de tener una gama apropiada de movimientos al darle vuelta a la cabeza.

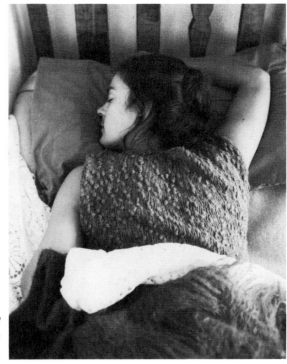

Figura 3:12
Esta posición para dormir causa
una tensión excesiva.

3. Relajamiento después de una actividad vigorosa

Cuando haya terminado alguna actividad vigorosa —como, por ejemplo, el jugar al fútbol o el tenis y cortar leña—, sin haber sufrido ningún dolor como resultado de ello, no convendrá que se relaje, sentándose o acostándose con la cabeza en postura hacia adelante *(figuras 3:13 y 3:14)*. Las junturas de la espina dorsal muy ejercitadas se distorsionan con facilidad si se mantienen en una posición demasiado tensa durante periodos prolongados. Se escucha con frecuencia a personas que, al sentarse para reposarse, después de un trabajo duro, experimentan poco después un dolor intenso que hace que les resulte casi imposible mover el cuello. Por lo común, las personas se quejan de la actividad real, considerándola como la causa del problema; sin embargo, en la mayoría de los casos, el dolor se debe a la inclinación prolongada hacia adelante de la cabeza y el cuello.

Regla: *Después de una actividad vigorosa, debería retraer la cabeza y extender el cuello cinco o seis veces. Si se sienta para reposar, deberá evitar la postura en la que la cabeza permanece inclinada hacia el frente.*

Figura 3:13

4. Trabajo en espacios restringidos o posturas difíciles

Algunas tareas se pueden realizar sólo en posturas que es probable que causen una tensión excesiva del cuello. Esas tareas pueden exigir la adopción de la posición sentada y, por lo común, incluyen trabajos de precisión. De modo alternativo, es posible que se tengan que realizar en espacios restringidos o con la cabeza y el cuello en posiciones estáticas difíciles. En esas circunstancias, es posible que no pueda impedir que comience a dolerle el cuello, con sólo adoptar regularmente la postura correcta. Si sus problemas de cuello se deben a esto, deberá interrumpir con frecuencia la tensión excesiva, realizar el ejercicio 6 y, a continuación, los 1 y 2, además de adoptar regularmente la postura correcta.

Regla: *Cuando trabaje con la cabeza y el cuello en posición estática, deberá interrumpir a intervalos regulares esta postura, adoptando la correcta. Además, debería realizar cinco o seis movimientos del ejercicio 6 y, a continuación, los ejercicios 1 y 2.*

Figura 3:14

CAPITULO 4

EJERCICIOS

LINEAMIENTOS GENERALES Y PRECAUCIONES

La finalidad de los ejercicios es acabar con el dolor y, cuando sea apropiado, restaurar las funciones normales, o sea, volver a obtener plena movilidad en el cuello o tanto movimiento como sea posible en las circunstancias dadas. Cuando esté realizando ejercicios para alivio del dolor, deberá moverse hasta el borde del dolor mismo o hasta que comience éste último, aflojando después la presión y volviendo a la posición de partida. Sin embargo, cuando se esté ejercitando para superar la rigidez, se puede hacer que los ejercicios resulten más eficaces, utilizando las manos y aplicando una sobretensión en forma suave, pero firme, con el fin de obtener la cantidad máxima de movimiento. La corrección y el mantenimiento de la postura adecuada deberán seguir siempre a los ejercicios. Una vez que ya no tenga dolor en el cuello, los buenos hábitos de postura son esenciales para evitar que vuelvan a presentarse los problemas del cuello.

Con el fin de determinar si el programa de ejercicios es bueno para usted, es muy importante que observe de cerca los cambios en el sitio en que le duela. Puede observar que el dolor, que sentía originalmente a un lado de la espina, sobre los hombros o a lo largo del brazo, se desplace hacia el centro del cuello como resultado de los ejercicios. En otras palabras, su dolor se localiza o centraliza. La centralización del dolor *(figura 4:1)*, que se produce mientras hace ejercicio, es una buena señal. Si su dolor se desplaza desde las zonas más alejadas del cuello, donde lo siente por lo común, hacia la línea media de la espina dorsal, se estará ejercitando correctamente y su programa será el apropiado para usted.

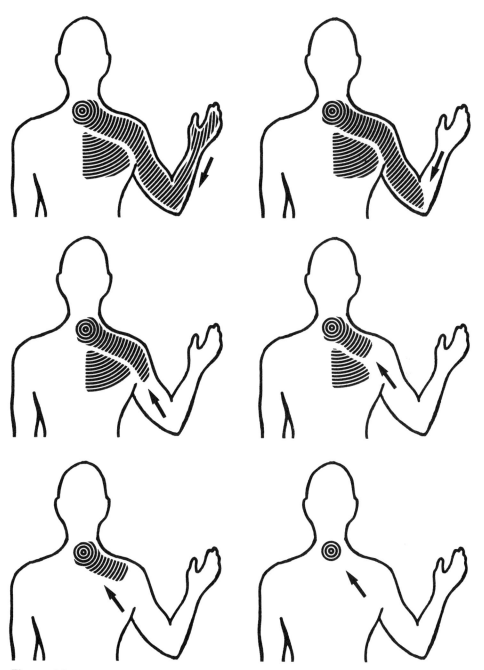

Figura 4:1
La progresión de la centralización del dolor indica que el programa de ejercicios es apropiado.

Si su dolor de cuello es tan intenso que sólo puede mover la cabeza con dificultad y no encuentra una posición en la que se sienta cómodo, acostado en la cama, deberá abordar los ejercicios en forma cuidadosa y sin prisa.

Al comenzar cualquiera de los ejercicios, podrá experimentar un aumento del dolor. Este aumento inicial es común y puede esperarse. Conforme continúe la práctica, el dolor deberá disminuir con rapidez, al menos hasta su nivel anterior. Por lo común, esto se produce en el curso de la primera tanda de ejercicios. A continuación, a esto debería seguir una centralización del dolor mismo. Una vez que éste último ya no se extienda hacia el exterior y se deje sentir sólo en la línea mediana, su intensidad disminuirá con rapidez en un periodo de dos a tres días y, en otros tres, deberá desaparecer por completo.

Si después de un aumento inicial, el dolor sigue creciendo en intensidad o se extiende a sitios más alejados de la columna vertebral, será preciso que deje de ejercitarse y buscar asesoramiento. En otras palabras, no continúe ninguno de los ejercicios si sus síntomas empeoran mucho inmediatamente después de realizarlos y permanecen en esa forma al día siguiente, o bien, si durante el ejercicio los síntomas se producen o aumentan en el brazo por debajo del codo.

Si sus síntomas han estado presentes en forma bastante continua durante muchas semanas o varios meses, no deberá esperar que desaparezca el dolor en dos o tres días. La respuesta será más lenta; pero, si realiza los ejercicios correctos, sólo necesitará de diez a catorce días para que el dolor disminuya.

Se recomienda que adopte la posición sentada al aprender a realizar los ejercicios. Una vez que los domine, podrá ponerlos en práctica en posición sentada o de pie, lo que resulte más apropiado.

Sin embargo, si el dolor es demasiado intenso para tolerar los ejercicios sentados, puede que sea necesario comenzar a hacerlos mientras permanezca tendido. En la posición acostada, el dolor se reducirá, porque la cabeza y el cuello están mejor sostenidos y las fuerzas de compresión sobre la columna serán considerablemente menores que en posición sentada. Si tiene sesenta años de edad o más, será aconsejable que comience a ejercitarse mientras permanece acostado. Las personas de los grupos de edades más avanzadas experimentan con frecuencia mareos o vahídos al realizar ejercicios de extensión con la cabeza. Si esos síntomas persisten, deberá cesar de ejercitarse y pedir consejos. Por otra parte, cuando los intentos iniciales de los ejercicios de tensión, en posición acostada no tengan malos efectos, podrá seguir adelante con seguridad, ejercitándose en posición sentada.

Si le es difícil o poco aconsejable el permanecer tendido a plano, debido a problemas médicos de cualquier tipo, deberá limitarse a realizar los ejercicios en la posición sentada erecta.

Al comenzar este programa de ejercicios debería detener cualquier otro que se le haya mostrado en otro lugar o que haga regularmente —por ejemplo, para mantenerse en forma o por algún deporte. Si desea continuar con ejercicios que no sean los que se describen en este libro para los problemas del cuello, debería esperar hasta que sus dolores hayan cesado por completo.

Una vez que haya iniciado este programa de ejercicios, deberá esperar que se desarrollen nuevos dolores. Estos serán diferentes del original y por lo común los sentirá en zonas del cuello o el plano de los hombros que no se veían afectadas previamente. Los nuevos dolores son el resultado de la realización de movimientos a los que su cuerpo no está acostumbrado y, a condición de que siga adelante con los ejercicios, desaparecerán en de tres a cuatro días.

EJERCICIO 1

Retracción de la cabeza en posición sentada

La retracción de la cabeza significa echarla hacia atrás. Siéntese en una silla o un taburete, mire directamente al frente y relájese por completo. Su cabeza se inclinará un poco hacia adelante al hacer esto *(figura 4:2)*. Ahora estará listo para comenzar el primer ejercicio, que es el más importante.

Desplace la cabeza hacia atrás, en forma lenta, pero continua, hasta que llegue tan lejos como le resulte posible *(figura 4:3)*. Es importante mantener la barbilla hundida hacia adentro al hacer este ejercicio. En otras palabras, debe permanecer mirando directamente al frente y no inclinar la cabeza hacia atrás como cuando vaya a mirar hacia arriba. Cuando su cabeza llegue tan atrás como le resulte posible, habrá adoptado la posición de cabeza retraída *(figura 4:3)*. Una vez que haya mantenido esta posición durante unos cuantos segundos, deberá relajarse y su cabeza y su cuello volverán a inclinarse automáticamente hacia adelante *(figura 4:2)*. Cada vez que repita este ciclo de movimiento tendrá que asegurarse de que el desplazamiento de la cabeza y el cuello hacia atrás se lleven a cabo hasta el máximo posible. El ejercicio se puede hacer más eficazmente, colocando ambas manos en la barbilla y empujando firmemente la cabeza todavía un poco más lejos *(figura 4:4)*.

Este ejercicio se usa primordialmente para el tratamiento del dolor de cuello. Cuando se emplee para terapia del dolor del cuello, el ejercicio se deberá repetir diez veces en cada tanda y las sesiones se distribuirán uniformemente de seis a ocho veces en el curso del día. Esto quiere decir que deberá repetir las sesiones aproximadamente cada dos horas. En caso de que experimente dolores intensos al intentar realizar este ejercicio, reemplácelo con el número 3. Cuando se use para la prevención del dolor del cuello, el ejercicio se deberá repetir cinco o seis veces, con tanta frecuencia como se requiera.

Figura 4:2
La posición relajada permite que la
cabeza se incline hacia adelante.

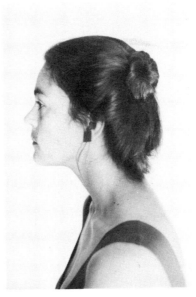

Figura 4:3
La posición retraída.

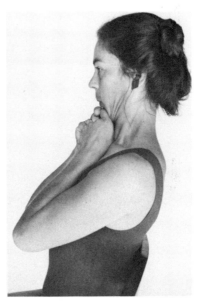

Figura 4:4
Retraída con sobretensión.

EJERCICIO 2

Extensión del cuello en posición sentada

Extensión significa flexión hacia atrás. Este ejercicio debe seguir siempre al 1. Permanezca sentado, repita el ejercicio 1 unas cuantas veces y, luego, mantenga la cabeza en posición retraída *(figura 4:5).* Ahora estará listo para iniciar el ejercicio 2.

Levante la barbilla e incline la cabeza hacia atrás, como si mirara al cielo *(figura 4:6).* No permita que su cuello avance al hacerlo. Con la cabeza inclinada hacia atrás, hasta donde alcance, deberá volver la nariz aproximadamente dos centímetros (media pulgada) a la derecha y, luego, a la izquierda de la línea central *(figura 4:7 y 4:7a),* tratando todo el tiempo de mover la cabeza y el cuello todavía más atrás. Una vez que haya hecho esto durante unos cuantos segundos, deberá regresar la cabeza a la posición de partida. De nuevo, cada vez que repita este ciclo de movimientos, tendrá que asegurarse de que la extensión del cuello se realice hasta el máximo posible.

Este ejercicio se puede utilizar tanto en el tratamiento como en la prevención del dolor del cuello. El ejercicio 2 se tiene que realizar diez veces por tanda y las sesiones se dividirán en forma uniforme, seis a ocho veces al día. Si su dolor es demasiado fuerte para tolerar el ejercicio 2, debería reemplazarlo con el 3.

Una vez que haya practicado bien los ejercicios 1 y 2 por separado, podrá combinarlos adecuadamente en uno solo.

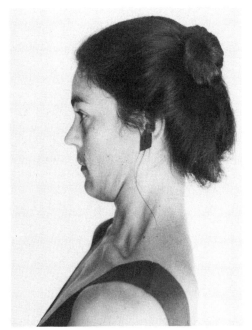

Figura 4:5

Figura 4:6

Figura 4:7

Figura 4:7(a)

EJERCICIO 3

Retracción de la cabeza en posición acostada

En posición acostada, de cara hacia arriba, con la cabeza en un borde libre de la cama como, por ejemplo, acostado a través de una cama doble o con la cabeza en el extremo de los pies de una cama simple. Repose la cabeza y los hombros de plano sobre la cama y no use una almohada *(figura 4:8)*. Estará así listo para iniciar el ejercicio 3.

Empuje con la parte posterior de su cabeza hacia el colchón y, al mismo tiempo, meta la barbilla *(figura 4:9)*. El efecto general debería ser que su cabeza y su cuello se desplacen hacia atrás tan lejos como sea posible, mientras se mantiene de cara hacia el techo. Una vez que haya mantenido esta posición unos cuantos segundos, debería relajarse y la cabeza y el cuello volverían automáticamente a la posición de partida *(figura 4:8)*. Cada vez que repita este ciclo de movimientos deberá asegurarse de que el movimiento de retroceso de la cabeza y el cuello se lleven a cabo hasta el máximo posible.

Este ejercicio se utiliza primordialmente para el tratamiento de dolores intensos en el cuello. Cuando haya llevado a cabo diez retracciones de la cabeza, deberá evaluar los efectos de ese ejercicio sobre el dolor. Si éste último se ha centralizado o su intensidad ha disminuido, podrá continuar con seguridad este procedimiento. En este caso, debería repetir el ejercicio diez veces por tanda y distribuir las sesiones uniformemente de seis a ocho veces durante el día o la noche. Sin embargo, si el dolor aumenta considerablemente o se extiende más lejos de la columna vertebral, o bien, si ha desarrollado alfilerazos, agujetazos u hormigueo en los dedos, será preciso que deje de hacer el ejercicio y pida consejos.

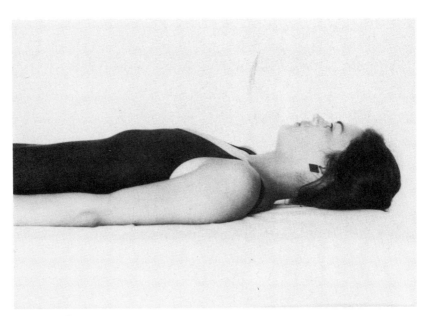

Figura 4:8

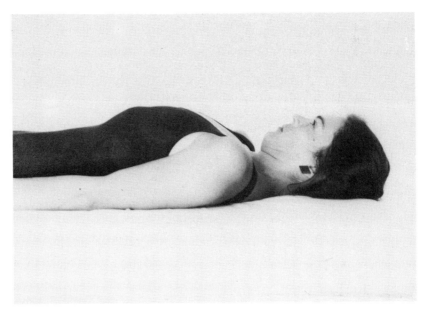

Figura 4:9

EJERCICIO 4

Extensión del cuello en posición acostada

Este ejercicio debería seguir siempre al 3. Una vez más, debe acostarse en la cama de cara hacia arriba. Antes de poder iniciar el ejercicio 4, deberá poner una mano bajo su cabeza y levantarla a lo largo de la cama, hasta que la cabeza, el cuello y la parte superior de los hombros se extiendan sobre el borde de la cama *(figura 4:10).*

Mientras sostiene la cabeza, deberá hacerla descender lentamente hacia el suelo (figura 4:11). Luego, retire la mano *(figura 4:12),* llevando la cabeza y el cuello tan lejos hacia atrás como le sea posible y tratando de ver todo lo que pueda del piso, directamente debajo. En esta posición, deberá dar repetidamente vuelta a la nariz aproximadamente dos centímetros y, luego, a la izquierda de la línea central *(figura 4:13),* tratando todo el tiempo de desplazar la cabeza y el cuello un poco más hacia atrás. Una vez que haya llegado a la cantidad máxima de extensión, debería tratar de relajarse en esta posición durante cerca de 30 segundos.

Para volver a la posición de reposo, deberá colocar primeramente una mano detrás de su cabeza, ayudarle a ésta a volver a la posición horizontal y descender a lo largo de la cama hasta que su cabeza repose nuevamente en ella. Es importante que, después de este ejercicio, no se levante inmediatamente, sino que se repose unos cuantos minutos con la cabeza apoyada de plano sobre la cama. No use una almohada.

Como en el caso del ejercicio 3, éste se utiliza primordialmente para el tratamiento del dolor intenso del cuello. Hasta que desaparezcan los síntomas agudos, el ejercicio 4 deberá seguir al 3 y realizarse sólo una vez por sesión. Una vez que ya no tenga dolores intensos, los ejercicios 3 y 4 deberían reemplazar a los 1 y 2. Para ahora, ya habrá observado que, con excepción de la posición en que se llevan a cabo, los ejercicios 3 y 4 son de hecho iguales que los 1 y 2.

Figura 4:10

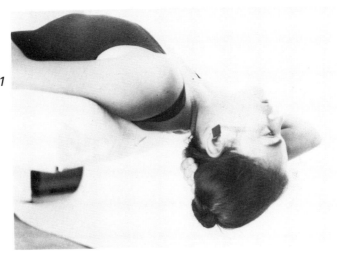

Figura 4:11

Figura 4:12

Figura 4:13

EJERCICIO 5

Flexión lateral del cuello

Siéntese en una silla, repita el ejercicio 1 unas cuantas veces y, a continuación, mantenga la cabeza en la posición retraída *(figura 4:14)*. Ahora estará listo para iniciar el ejercicio 5.

Incline el cuello lateralmente y desplace la cabeza hacia el costado en el que sienta más el dolor. No permita que la cabeza dé la vuelta *(figura 4:15)*. En otras palabras, deberá mantenerse mirando directamente al frente y no acercar la nariz al hombro, sino el oído. Es importante que mantenga la cabeza bien retraída al hacer esto. El ejercicio se puede llevar a cabo de modo más eficaz, utilizando la mano del lado adolorido, colocándola sobre la parte superior de la cabeza y tirando con suavidad y firmeza de ésta última todavía un poco más lejos, hacia el lado que le duela *(figura 4:16)*. Una vez que haya mantenido esta posición durante unos cuantos segundos, deberá hacer que la cabeza regrese a la posición de partida.

Este ejercicio se usa específicamente para el tratamiento del dolor que se siente sólo en un costado o el que sea más intenso en uno de los lados que en el otro. Hasta que se hayan centralizado los síntomas, el ejercicio 5 se deberá repetir diez veces por tanda y las sesiones se distribuirán uniformemente de seis a ocho veces durante el día.

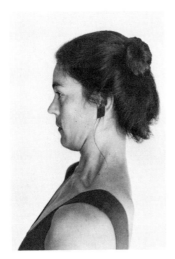

Figura 4:14

Figura 4:15

Figura 4:16

EJERCICIO 6

Rotación del cuello

Rotación significa dar vuelta a la derecha y la izquierda. Siéntese en una silla, repita el ejercicio 1 unas cuantas veces y, luego, mantenga la cabeza en la posición retraída *(figura 4:17)*. Ahora estará listo para iniciar el ejercicio 6.

Déle vuelta a su cabeza hasta el extremo derecho y, luego, hasta el izquierdo, como antes de cruzar una calle *(figura 4:118)*. Es importante que mantenga la cabeza bien retraída al hacerlo. Si experimenta más dolor al dar la vuelta hacia un lado que hacia el otro, deberá seguir efectuando su ejercicio, girando hacia el lado más doloroso y, conforme repita el movimiento, el dolor debería centralizarse gradualmente o ir disminuyendo. Sin embargo, en caso de que el dolor aumente y no se centralice, deberá continuar el ejercicio, dando vuelta hacia el lado menos doloroso. Una vez que tenga la misma cantidad de dolor o que no le duela, pero sienta cierta rigidez al dar la vuelva hacia cualquiera de los lados, deberá continuar ejercitándose, dando vueltas hacia ambos lados. El ejercicio se podrá hacer con mayor eficacia, utilizando las dos manos y empujando con suavidad y firmeza la cabeza todavía un poco más lejos en la rotación *(figuras 4:19, 19a y 19-b)*. Una vez que haya mantenido la posición de rotación máxima durante unos cuantos segundos, deberá regresar la cabeza a la posición de partida.

Este ejercicio se puede utilizar en el tratamiento, así como también en la prevención del dolor del cuello. Cuando se usa en el tratamiento del dolor o la rigidez del cuello, el ejercicio se deberá realizar diez veces por tanda y las sesiones se distribuirán uniformemente de seis a ocho veces durante el día. Tanto si se ha producido centralización o reducción del dolor como si no es así, al ejercicio 6 deberán seguir siempre el 1 y el 2. Cuando se use para la prevención de problemas del cuello, el ejercicio 2 deberá repetirse cinco o seis veces, de vez en cuando, o con tanta frecuencia como se requiera.

Figura 4:17

Figura 4:18

Figura 4:19

Figura 4:19(a)

Figura 4:19(b)

EJERCICIO 7

Flexión del cuello en posición sentada

Flexión significa inclinación hacia adelante. Siéntese en una silla, mire directamente al frente y relájese por completo *(figura 4:20)*. Ahora estará listo para iniciar el ejercicio 7.

Deje caer la cabeza hacia el frente y que repose con el mentón tan cerca del pecho como le sea posible *(figura 4:21)*. Ponga las manos detrás de la nuca y entrelace los dedos *(figura 4:22)*. Luego, deje que sus brazos se relajen, de modo que los codos apunten hacia el suelo. En esta posición, el peso de los brazos llevará la cabeza todavía más abajo y hará que el mentón se acerque más al pecho *(figura 4:23)*. El ejercicio se puede hacer que resulte más eficaz, utilizando las manos y tirando de la cabeza hacia el pecho, en forma suave, pero firme. Una vez que haya mantenido la posición de flexión máxima del cuello unos cuantos segundos, deberá volver la cabeza a la posición de partida.

Este ejercicio se utiliza específicamente para el tratamiento de los dolores de cabeza; pero se puede aplicar también para resolver la rigidez o el dolor residual en el cuello, una vez que los síntomas agudos hayan cesado. En ambos casos, se debería repetir sólo dos o tres veces por tanda, y las sesiones se deberían distribuir uniformemente de seis a ocho veces durante el día. Cuando se use para el tratamiento de dolores de cabeza, el ejercicio 7 se debería realizar junto con el 1. Al utilizarse para el tratamiento de la rigidez o el dolor del cuello, al ejercicio 7 deberían seguirle siempre el 1 y el 2.

Figura 4:20

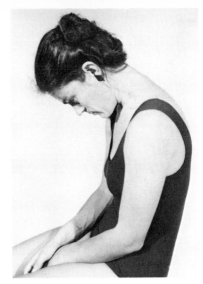

Figura 4:21

Figura 4:22

Figura 4:23

55

CAPITULO 5

CUANDO APLICAR LOS EJERCICIOS

CUANDO TENGA UN DOLOR INTENSO

Si el dolor es muy fuerte, será posible que pueda levantarse de la cama con dificultad; pero ciertos movimientos le resultarán imposibles y, con frecuencia, no podrá encontrar una posición cómoda en la que sentarse o trabajar. Aun cuando tenga un dolor intenso, deberá tratar siempre de comenzar con el ejercicio 1. Muchas personas descubren que este ejercicio les proporciona un alivio considerable del dolor y no tienen que comenzar a realizarlo en posición acostada. Tan pronto como sea posible, incluso el primer día, debería agregarse el ejercicio 2. Continúe los movimientos anteriores hasta que se sienta considerablemente mejor. Una vez que ya no tenga dolor intenso, debería seguir el programa de ejercicios, tal y como se bosqueja para cuando haya cesado el dolor agudo.

Si ha realizado tres o cuatro tandas del ejercicio 1, distribuidas durante un periodo de 15 minutos, y el dolor sigue siendo demasiado intenso para tolerarlo, deberá detenerse y reemplazarlo con el ejercicio 3. Sus síntomas deberían reducirse gradualmente y centralizarse, de tal modo que haya cierto mejoramiento para cuando haya completado unas cuantas sesiones. Se deberá agregar el ejercicio 4 tan pronto como haya practicado bien el 3, y que sus síntomas hayan mejorado hasta cierto punto, o bien, cuando deje de obtener mejoramiento mediante el ejercicio 3. El punto en que se debería iniciar el ejercicio 4 varía de unas personas a otras; pero cuanto antes pueda hacerlo, tanto mejor será. Es importante que vigile cuidadosamente el patrón de dolor. Se estará ejercitando correctamente si, en unos cuantos días, el dolor se desplaza hacia la base o el centro del cuello y disminuye su intensidad. Al final, el dolor debería desaparecer por completo y verse reemplazado por una sensación de rigidez o tensión.

Cuando haya mejorado considerablemente —por lo común, dos o tres días después de iniciar los ejercicios en posición acostada y quizá antes—, podrá ir reduciendo gradualmente la cantidad de sesiones de ejercicios 3 y 4 y, cuando lo haga, debería introducir y aumentar gradualmente los ejercicios 1 y 2. En otros pocos días, estará realizando solamente los ejercicios en posición sentada y descubrirá que le proporcionan el mismo alivio del dolor que el que obtenía previamente mediante los ejercicios en posición acostada. En esta etapa, los periodos en los que esté completamente libre de dolor se harán más frecuentes y comenzarán a durar más.

Una vez más, cuando se sienta considerablemente mejor y ya no tenga un dolor agudo, deberá proseguir el programa de ejercicios, tal y como se bosqueja, para cuando haya cesado el dolor agudo.

NO HAY RESPUESTA NI BENEFICIO

Cuando el dolor se siente sólo en un costado de la columna o mucho más de un lado que del otro, los ejercicios recomendados hasta ahora no proporcionarán a veces ningún alivio. Si sucede esto, deberá comenzar con el ejercicio 5. Tanto si se ha producido una centralización o una reducción del dolor como si no es así, al ejercicio 5 deberán seguir siempre el 1 y el 2. Después de dos o tres días de práctica, puede notar que el dolor está distribuido más uniformemente a través de la columna o se ha centralizado. A continuación, podrá ir reduciendo gradualmente el ejercicio 5.

Cuando se encuentre considerablemente mejor y que el dolor se le haya centralizado por completo, deberá continuar con el programa de ejercicios, tal y como se bosqueja para cuando haya cesado el dolor agudo.

CUANDO HAYA CESADO EL DOLOR AGUDO

Una vez que haya pasado el dolor intenso, podrá sentir todavía cierta rigidez o dolor al moverse de ciertos modos. Observará esto, sobre todo, al volver la cabeza hacia uno u otro de los lados o inclinarla junto con el cuello hacia adelante, con el fin de mirar hacia abajo. Es probable que en esta etapa se haya producido una curación de los tejidos blandos excesivamente tensos o dañados. A continuación, deberá asegurar que la elasticidad de esos tejidos blandos y la flexibilidad de la espina dorsal en su conjunto, se restauren sin causar más daños.

Si tiene dolor al volver la cabeza a la derecha o la izquierda, deberá practicar el ejercicio 6. Y si tiene dolor al inclinar la cabeza hacia adelante, tendrá que practicar el ejercicio 7. Cada vez que repita el ejercicio, deberá desplazarse hasta el borde del dolor y, luego, liberar la presión. El dolor debería desaparecer por completo en un periodo de dos a tres semanas. Cada sesión de ejercicios 6 y 7 deberá concluirse siempre con unas pocas repeticiones de los 1 y 2.

Si siente rigidez sólo en esos movimientos, debería hacer los mismos ejercicios, aplicando una presión excesiva con las manos al final de cada movimiento. Mediante los ejercicios de este tipo, puede alcanzar el movimiento hasta el máximo. En un periodo de tres a seis semanas, deberá poder restaurar el funcionamiento normal.

Una vez que hayan desaparecido los síntomas por completo, debería seguir los lineamientos dados para evitar la repetición de los problemas del cuello. A continuación, deberá proseguir el programa de ejercicios tal y como se bosqueja para cuando no tenga dolor ni rigidez.

CUANDO NO TENGA DOLOR NI RIGIDEZ

Muchas personas con problemas del cuello tienen periodos prolongados en los que experimentan poco o ningún dolor. Si en el pasado o recientemente ha tenido una o más experiencias de dolor de cuello, deberá iniciar el programa de ejercicios aun cuando no tenga dolor en ese momento. Sin embargo, en esta situación no será necesario realizar todos los ejercicios, ni hacerlo cada dos horas.

Para evitar la repetición de los problemas del cuello, deberá efectuar el ejercicio 6, seguido por los 1 y 2, sobre pases regulares, de preferencia a la mañana y por la noche. Además, siempre que sienta que se desarrolla una tensión menor durante el trabajo o al sentarse, debería aplicar los ejercicios 1 y 2. Es todavía más importante que vigile su postura en todo momento y no trate nunca de que las tensiones de posición sean la causa del dolor de cuello. Estos ejercicios tendrán muy poco o ningún efecto, si vuelve constantemente a la postura incorrecta. Puede que sea necesario ejercitarse en el modo que se describió antes durante el resto de su vida; pero es esencial e imperativo que desarrolle y mantenga buenos hábitos de postura.

Puesto que sólo se necesita un minuto para llevar a cabo una tanda del ejercicio 6 y otro para combinar los 1 y 2 y repetirlos diez veces, la falta de tiempo no deberá considerarse nunca como excusa apropiada para dejar de realizarlos.

REPETICIÓN

Desde el primer síntoma de regreso del dolor del cuello, deberá realizar inmediatamente los ejercicios 1 y 2. Si su dolor es ya demasiado intenso para poder tolerar esos ejercicios o si no le reducen el dolor, deberá recurrir cuanto antes a los ejercicios 3 y 4. Si tiene síntomas en un costado que no se centralicen mediante ninguno de los ejercicios mencionados, deberá comenzar con el número 5. Una vez más, será preciso que preste una atención especial a su postura, que realice con regularidad una corrección de la posición y que mantenga la postura correcta tanto como pueda.

CUANDO TENGA DOLORES DE CABEZA

Los dolores de cabeza se pueden aliviar con frecuencia mediante algunos de los ejercicios recomendados como, por lo común, los 1 y 7. No será muy perjudicial que realice estos ejercicios durante un par de días, con el fin de determinar si le benefician o no. Los primeros tres días debería realizar el ejercicio 1 —Retracción de la cabeza—, a intervalos regulares y siempre que sienta que le está comenzando un dolor de cabeza. Si esto reduce su dolor; pero no hace que desaparezca por completo, deberá agregar el ejercicio 7. En particular, los dolores de cabeza que se extienden sobre la parte superior del cráneo hasta encima o detrás de los ojos, se alivian a menudo mediante este ejercicio. Puede que sea incluso capaz de prevenir el desarrollo de esos dolores de cabeza, realizando este ejercicio en cuanto sienta que se acumula una tensión ligera.

En caso de que no se le alivien los dolores de cabeza mediante estos dos ejercicios, debería realizar durante los tres días siguientes el ejercicio 4 —extensión del cuello en posición acostada—, seguido por los 1 y 2 y la corrección de la postura. Conforme vayan mejorando sus síntomas, podrá dejar gradualmente de lado el ejercicio 4; pero deberá seguir con los otros dos.

Si no logra influir en sus dolores de cabeza con ninguno de los ejercicios o si esos dolores se hacen más intensos durante ellos y permanecen peor durante todo el día siguiente, deje de hacer los ejercicios y trate de obtener consejos.

CAPITULO 6

INSTRUCCIONES PARA PACIENTES CON DOLOR AGUDO DEL CUELLO

Mantenga la cabeza levantada en todo momento. Cuando deje que la cabeza se caiga, como al leer, tejer, coser o realizar tareas de escritorio, ejercerá tensiones adicionales sobre los tejidos que tienen ya una sobretensión o se encuentran dañados. El mantenimiento de una buena postura es esencial.

No le dé vueltas a la cabeza y evite los movimiento rápidos, sobre todo el dar vuelta en forma brusca.

Evite las posiciones y los movimientos que le causaron inicialmente sus problemas. Deberá dejar que pase cierto tiempo para que se produzca una curación.

No duerma con más almohadas que las que sean necesarias. Si se encuentra cómodo con 1, no use otra. El contenido de la almohada debe ser ajustable, con el fin de proporcionar un buen soporte para el cuello.

Cuando se sienta incómodo por la noche, podrá beneficiarse con un rodillo de soporte.

No duerma de cara hacia abajo, ya que esto ejerce tensiones muy grandes sobre el cuello.

No permanezca tendido en el baño durante mucho tiempo, ya que esto flexiona la cabeza y el cuello hacia adelante en forma excesiva.

Comience con cuidado con los ejercicios de autotratamiento. Recuerde que puede esperar un aumento inicial del dolor al comenzar cualquiera de los ejercicios. Este dolor debería reducirse o centralizarse al repetir los movimientos.

CAPITULO 7

RESUMEN

Para tratar los problemas actuales del cuello con éxito, deberá hacer lo que sigue:

— **En todo momento:** Corrija la postura y mantenga la que sea adecuada.

— **Cuando tenga un dolor agudo:** Si es posible, realice los ejercicios 1 y 2. Si no lo es, los 3 y 4.

— **Cuando le duela más hacia uno de los lados y no obtenga respuesta:** Primeramente el ejercicio 5 y, más tarde, los 1 y 2.

— **Cuando el dolor agudo haya cesado:** Los ejercicios 6 y 7, seguidos siempre por los 1 y 2.

Para evitar adecuadamente que se produzca problemas futuros en el cuello, deberá hacer lo que sigue:

— **En todo momento:** Mantener buenos hábitos de postura.

— **Cuando no tenga dolor ni rigidez:** Dos veces al día, el ejercicio 6, seguido siempre por los 1 y 2.

— **A la primera señal de repetición:** La corrección de la postura y los ejercicios 1 y 2, a intervalos regulares, o sea, diez veces por tanda y de seis a ocho sesiones al día.

THE McKENZIE INSTITUTE INTERNATIONAL
SPINAL THERAPY AND REHABILITATION CENTRE
WELLINGTON, NUEVA ZELANDA

El McKenzie Institute International Spinal Therapy and Rehabilitation Centre (Instituto Internacional McKenzie, Centro de Terapia Espinal y Rehabilitación) se ha establecido con el fin de proporcionar programas de tratamiento residencial de pacientes internados para enfermos con problemas crónicos y repetidos de la espalda y el cuello.

El Centro acepta sólo pacientes cuyos síntomas hayan perdurado durante tres meses o más, que estén experimentando un trastorno significativo de su modo de vida y que no respondan a los tratamientos habituales de pacientes externos, además de que permanezcan sin mejoramiento.

El Instituto trabaja directamente con médicos y terapeutas que efectúan los envíos, para formular programas de tratamiento de seguimiento individualizado una vez que el paciente regrese al ambiente de su hogar.

Si le agradaría recibir información sobre los programas de tratamiento del Instituto, tenga la bondad de ponerse en contacto con:

The Executive Director
The McKenzie Institute International
P.O. Box 93
Waikanae, New Zealand